TEXAS

CHORD SONGBOOK

TEXAS

International
MUSIC
Publications

International Music Publications Limited
Griffin House 161 Hammersmith Road London W6 8BS England

Series Editors: Sadie Cook and Ulf Klenfeldt

Music Editorial & Project Management: Artemis Music Limited
Cover photo: Roberta Parkin/Redferns Music Picture Library
Design and production: Space DPS Limited

Published 1999

**International
MUSIC
Publications**

©International Music Publications Limited
Griffin House 161 Hammersmith Road London W6 8BS England

Exclusive Distributors

International Music Publications Limited

England: Griffin House
161 Hammersmith Road
London W6 8BS

Germany: Marstallstr. 8
D-80539 München

Denmark: Danmusik
Vognmagergade 7
DK1120 Copenhagen K

Carisch

Italy: Via Campania 12
20098 San Giuliano Milanese
Milano

Spain: Magallanes 25
28015 Madrid

France: 20 Rue de la Ville-l'Eveque
75008 Paris

TEXAS

Playing Guide

Tuning Your Guitar

To enjoy this book to the full, you have to ensure that your guitar is in tune.

There are many different methods of tuning your guitar. One of the most common is relative tuning. This is how it works.

Tune the low (thick) E-string to a comfortable pitch, fret the string at the 5th fret and then play it together with the A-string. Adjust the A-string until both strings have the same pitch. Repeat this procedure for the rest of the strings as follows:

    5th fret A-string to open D-string
    5th fret D-string to open G-string
    4th fret G-string to open B-string
    5th fret B-string to open E-string

After a little practise, you will be able to do this in a matter of minutes.

Chords and Chord boxes

Chords consist of several notes played together and are the basis for accompanying songs.

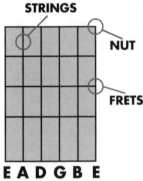

A chord box is simply a diagram showing a portion of the guitar neck. The horizontal lines illustrate the frets (the top line indicates the nut) and the vertical lines illustrate the strings, starting with the thickest string (low E) on the left. A fret number next to the chord box indicates that the chord should be played in that position, higher up on the neck.

The black dots indicate where to place your fingers on the fretboard. An 'O' instructs you to play the string open and an 'X' indicates that the string should not be played.

Basic Playing Techniques

Most guitarists use a pick to strum and pluck the strings. You could use your fingers, but they tend to wear out more quickly than a pick! There are no rules as to how to hold a pick - if it's comfortable, it's right for you.

You can use upstrokes, downstrokes or both. The most common is a combination of the two, alternating up and downstrokes. Ensure that you maintain an even, steady tempo when you strum your chords.

Most importantly... have fun!

Alone With You

Words and Music by
JOHN McELHONE AND SHARLEEN SPITERI

C   F   Am   G

♩ = 94

Verse 1   4/4   N.C. |
You fill my days with laugh-

C |**F** |
ter.   You take away the strain.

                | |
               There's a smile

                | |
I'd forgotten,   but you've put

                | |
it there again.   No I don't want to lose

Pre-Chorus | |
you,   don't wanna see you cry,

C |**F** |
        I don't want to lose

Am |**F** |
you child,   I'll never say goodbye.

                | |
               All I need

Chorus 1   **G** | |
               is to be with you,

C | |
                      Some

```
C                |                           |
where,                    somewhere we call

C                |                           |
home.                     Now you said that I hurt
```

Verse 2
```
        C                |F                          |
        you                       and left you far behind,

                         |                          |
                                   But you knew

                         |                          |
                I'd come running,   I just hope that

        I'm in time.     |         No I don't want to lose |
```

Pre-Chorus
```
                         |                          |
        you,                      don't wanna see you cry,

        C                |F                          |
                          I don't want to lose

        Am               |F                          |
        you child,        I'll never say goodbye.

                         |                          |
                                   All I need
```

Chorus 2
```
        G                |                          |
                                   is to be with you,

        C                |                          |
                                            Some

        C                |                          |
        where,                    somewhere we call

        C                |                         ‖
        home.
```

Interlude   F

| / / / / | / / / / | / / / / | / / / / |

| / / / / | / / / / | / / / / |

No I don't want to lose

Pre-Chorus
you,   don't wanna see you cry,

C |F
     I don't want to lose

Am |F
you child,   I'll never say goodbye.

     All I need

Chorus 3   G
                    is to be with you,

C
                          Some

C
where,   somewhere we call

C   *(Fade)*
home.

Black Eyed Boy

Words and Music by
JOHN McELHONE, SHARLEEN SPITERI, EDWARD CAMPBELL,
RICHARD HYND AND ROBERT HODGENS

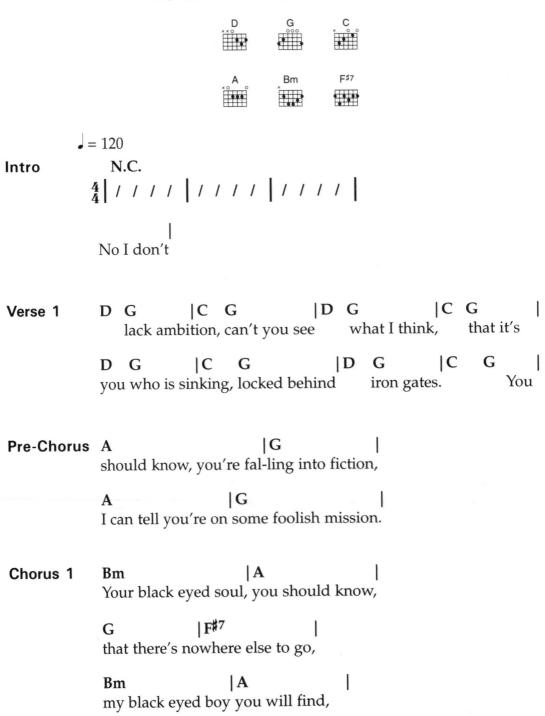

```
G                    |F#7                        |
                     your own space and time.

D        G        |C   G            |D    G    |C     G        |
                  Hey, hey, hey!                      You call
```

Verse 2
```
D  G      |C    G         |D   G        |C  G        |
me superstitious, tie me up  with your deceit,      I could

D     G     |C     G      |
never be malicious, though I

D      G        |C     G              |
seem so bittersweet.      Hey, hey, hey. You
```

Pre-Chorus
```
A                         |G              |
should know, you're fal-ling into fiction,

A                 |G                        |
I can tell you're on some foolish mission.
```

Chorus 2
```
Bm                |A                |
Your black eyed soul, you should know,

G              |F#7                |
that there's nowhere else to go,

Bm                |A                 |
my black eyed boy you will find,

G                  |F#7                          |
                   your own space and time.

Bm                         |A                 |
Black eyed soul,        you should know,

G              |F#7              |
that there's nowhere else to go,

Bm                 |A                 |
my black eyed boy you will find,
```

G |F#7 |N.C. |

your own space and time.

Interlude   Bm   A

| / / / / | / / / / | / / / / | / / / / |

   G   F#7   Bm   A

| / / / / | / / / / | / / / / | / / / / |

G |F#7 |

Yeah, yeah you

Pre-Chorus   A |G |

should know, you're fal-ling into fiction,

A |G |

I can tell you're on some foolish mission.

Chorus 2   Bm |A |

Your black eyed soul, you should know,

G |F#7 |

that there's nowhere else to go,

Bm |A |

my black eyed boy you will find,

G |F#7 |

your own space and time.

Bm |A |

Black eyed soul,   you should know,

G |F#7 |

that there's nowhere else to go,

Bm |A |

my black eyed boy you will find,

G |F#7 |Bm   ‖

your own space and time.

Halo

Words and Music by
JOHN McELHONE AND SHARLEEN SPITERI

D/G   G   G/D   D   Am   C   Cadd9

Gmaj7   Am(add9)   Am9   Csus2   Am11   Cmaj7

♩ = 126

Intro

N.C.

$\frac{4}{4}$ / / | / / / / | / / / / |

| D/G G   G/D D   G/D D   Am |

| / / / / | / / / / | / / / / | / / / / |

| C   Cadd9   C   Cadd9 |

| / / / / | / / / / | / / / / | / / / / |

Verse 1

G | |Gmaj7 | |
Bright light city, your her religion,   superstars in their own

G | |C | |
private movie   play just like children.   Lies

G | |Gmaj7 | |
    that take her   places she's never seen,   the kiss and tell

G | |C | |
of it all,   to her it seems so obscene,   she's so pret-

Am(add9) | |D | |
ty   her hair is a mess,   we all love

Am9 | |C | |
her,   to that we confess.   She has a ha-

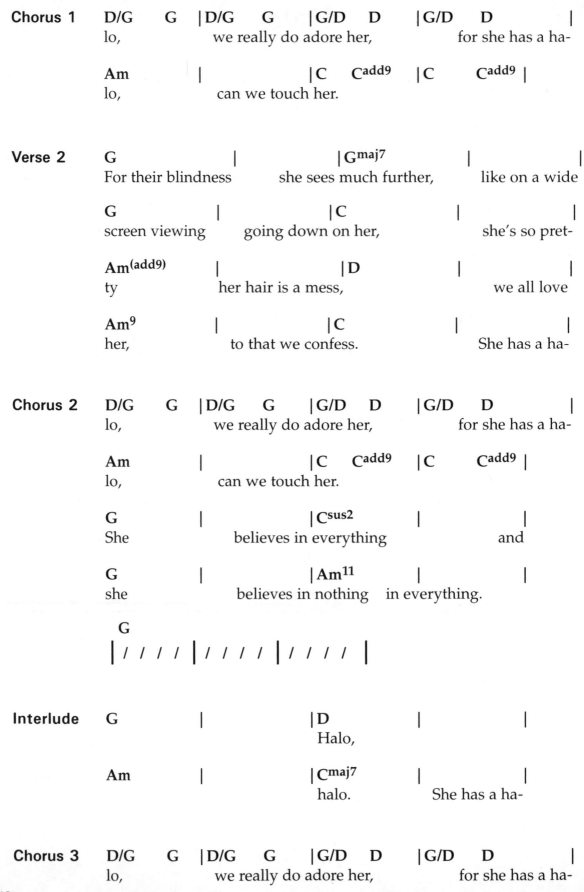

Chorus 1   D/G   G |D/G   G |G/D   D |G/D   D |
          lo,   we really do adore her,   for she has a ha-

          Am | |C C^{add9} |C C^{add9} |
          lo,   can we touch her.

Verse 2   G | |G^{maj7} | |
          For their blindness   she sees much further,   like on a wide

          G | |C | |
          screen viewing   going down on her,   she's so pret-

          $Am^{(add9)}$ | |D | |
          ty   her hair is a mess,   we all love

          Am^9 | |C | |
          her,   to that we confess.   She has a ha-

Chorus 2   D/G   G |D/G   G |G/D   D |G/D   D |
          lo,   we really do adore her,   for she has a ha-

          Am | |C C^{add9} |C C^{add9} |
          lo,   can we touch her.

          G | |C^{sus2} | |
          She   believes in everything   and

          G | |Am^{11} | |
          she   believes in nothing   in everything.

            G
         | / / / / | / / / / | / / / / |

Interlude   G | |D | |
                            Halo,

          Am | |C^{maj7} | |
                            halo.   She has a ha-

Chorus 3   D/G   G |D/G   G |G/D   D |G/D   D |
          lo,   we really do adore her,   for she has a ha-

| **Am** | | | | **C** | **C**add9 | | **C** | **C**add9 | |
lo,   can we touch her.   (She has a ha-)

(Repeat Chorus ad lib)

Coda   **G** | |**G/D**   **D** |**G/D**   **D** |

She   believes in every - thing   and

            Am | |**C**   **C**add9 |**C**   **C**add9 |

she   believes in no - thing in everything.

(Repeat Coda ad lib to fade)

Everyday Now

Words and Music by
JOHN McELHONE AND SHARLEEN SPITERI

G   Am   Dsus4   Am(add4)

G5   D5   C5

♩. = 84

Intro

| G | Am7 | C | G |

$\frac{12}{8}$ | /. /. /. /. | /. /. /. /. | /. /. /. /. | /. /. /. /. |

Verse 1

|Am7 | |G |

Just woke up I can see it now. It's never been this close before,

|Am7 | |G |

Tried to tell myself I didn't care. Crying out, 'Why am I here?'

|Dsus4 |Am7(add4) |G |

There's no point in me hiding.   Only now   I can see.

Chorus 1

|Am7 |C |G |

Every day now, every day now, the blame's gonna fall on me.

Am7   C   G

| /. /. /. /. | /. /. /. /. | /. /. /. /. | /. /. /. /. |

Verse 1

|Am7 | |G |

Just woke up I can see it now. It's never been this close before,

|Am7 | |G |

Tried to tell myself I didn't care. Crying out, 'Why am I here?'

|Dsus4 |Am7(add4) |G |
There's no point in me hiding.   Only now   I can see.

Chorus 2 |Am7 |C |G |
Every day now, every day now, the blame's gonna fall on me. 'Cause

                            |Am7 |C |G |
every day now, every day now, the blame's gonna fall on me.

Interlude   G   Am7   G
| /. /. /. /. | /. /. /. /. | /. /. /. /. | /. /. /. /. |

                            Am7   G
| /. /. /. /. | /. /. /. /. | /. /. /. /. | /. /. /. /. |

                        |D |
'Cause I never told you, that I could never live without

C |G |
it. Now the blame's on me.

                        |D |
'Cause I never told you, that I could never live without

C |G |
it. Now the blame's on me.

Chorus 3 |Am7 |C |G |
Every day now, every day now, the blame's gonna fall on me. 'Cause

                            |Am7 |C |G |
every day now, every day now, the blame's gonna fall on me.

Coda |Am7 |C |G |
Every day now, every day now the blame's gonna fall on me.

                        |Am7 |
I never knew the feeling now and it

C |G | *(Repeat Coda*
changed me, and I never knew me.   'Cause   *ad lib to fade)*

I Don't Want A Lover

Words and Music by
JOHN McELHONE AND SHARLEEN SPITERI

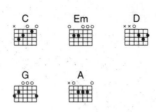

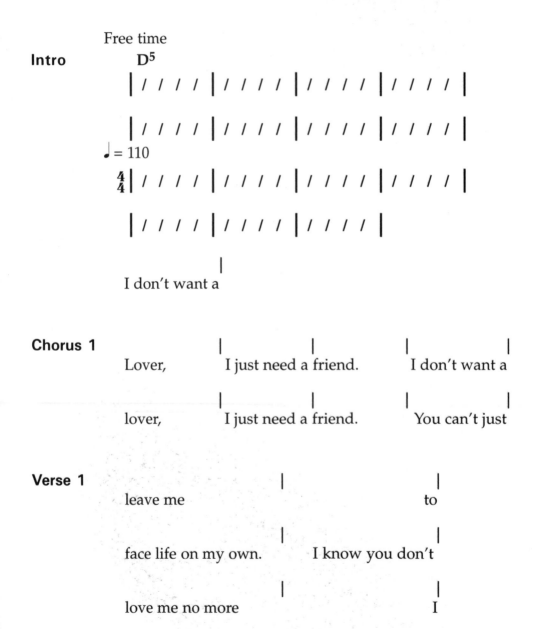

Intro

Free time

D⁵

/ / / / | / / / / | / / / / | / / / /

/ / / / | / / / / | / / / / | / / / /

♩ = 110

4/4 / / / / | / / / / | / / / / | / / / /

/ / / / | / / / / | / / / /

I don't want a

Chorus 1

Lover,   I just need a friend.   I don't want a

lover,   I just need a friend.   You can't just

Verse 1

leave me   to

face life on my own.   I know you don't

love me no more   I

knew this day would come. | Even when it |

C | |
cuts so deep.   It's true I still want

Em |**D** |
you.   But the

C | |
harder I try   the more I seem to lose.

Em |**D** |
     I don't want

Chorus 2 | | | |

Lover,   I just need a friend.   I've had time

G |**A**   **G** |
to recover   now that I know

D | |
it wasn't love.   It's always a different

Verse 2 | |

story   when

| |
it's me who's in the wrong   but you can't

| |
have it all   'cause

| |
I'm the one who's strong   I've already been

C | |
burnt before.   Once but never a-

Em |**D** |
gain.   I know

C | |
the time will come   That's when you'll need me then.

Em   **|D** |

                           I don't want a

Chorus 3 | | | |

        lover,   I just need a friend.   I've had time

G   **|A**   **G** |

to recover   now that I know

D | |

it wasn't love.   I don't want a

| | | | |

lover,   I just need a prayer.   I know you

G   **|A**   **G** |

never cared   now that I know

D | |

it wasn't love.   You don't even

Verse 3   **A** | |

          care 'bout what I'm saying.   You don't even

G | |

think what you're doing.   All you see

A | |

is what you want it to be,   but in

G   **|Em** |

there there's just no room for me.

Interlude   **D**

| / / / / | / / / / | / / / / | / / / / |

         C   **Em**   **D**

| / / / / | / / / / | / / / / | / / / / |

| / / / / | / / / / | / / / / |

              |

I don't want a

Chorus 4

             | | | |
lover,   I just need a friend.   I've had time

G |A   G |
to recover   now that I know

D | |
it wasn't love.   You don't even

Verse 4

A | |
care 'bout what I'm saying.   You don't even

G | |
think what you're doing.   All you see

A | |
is what you want it to be, there there's just no

G |Em |
room in there for me.   I don't want a

Chorus 5

             | | | |
lover,   I just need a friend.   I've had time

G |A   G |
to recover   now that I know

D | |
it wasn't love.   It's always a different

(Repeat chorus to fade)

The Hush

Words and Music by
JOHN McELHONE, SHARLEEN SPITERI, MICHAEL RABON,
MARK RAE AND STEVE CHRISTIAN

Am7   Bm7   Am9   Bm11

$\downarrow$ = 84

Intro

| Am7 | Bm7 | Am9 | Bm11 |

$\frac{4}{4}$ | / / / / | / / / / | / / / / | / / / / |

| Am7 | Bm7 | Am9 | Bm11 |

| / / / / | / / / / | / / / / | / / / / |

Verse 1

Am9 | Bm11 | Am9 | Bm11 |
I'm a long, long way from yesterday, and with time my ideals change.

Am9 | Bm11 | Am9 | Bm11 |
I want to spend all of my time   the way it should be spent.

Am9 | Bm11 | Am9 | Bm11 |
Road maps here of twenty towns,   flights a faithless place.

Am9 | Bm11 | Am9 | Bm11 |
I eat another   Milk Bar down, yawn and wash my face. You know

Chorus 1

Am9 | Bm11 |
you're nervous when you see me sway,

Am9 | Bm11 |
too much time by yourself.   You know

Am9 | Bm11 |
you always seem to back away,

Am9 | Bm11 |
don't hide within yourself.

Verse 2 Am⁹ |Bm¹¹ |Am⁹ |Bm¹¹ |

There's a certain hill I want to climb, like tar bubbles on the path

Am⁹ |Bm¹¹ |

when they all pop up in summer time,

Am⁹ |Bm¹¹ |

forever, how my climb will last.

Am⁹ |Bm¹¹ |Am⁹ |Bm¹¹ |

Road maps here of twenty towns,   flights a faithless place.

Am⁹ |Bm¹¹ |Am⁹ |Bm¹¹ |

I eat another   Milk Bar down, yawn and wash my face. You know

Chorus 2 Am⁹ |Bm¹¹ |

you're nervous when you see me sway,

Am⁹ |Bm¹¹ |

too much time by yourself.   You know

Am⁹ |Bm¹¹ |

you always seem to back away,

Am⁹ |Bm¹¹ |

don't hide within yourself.

Interlude Am⁹   Bm¹¹   Am⁹   Bm¹¹

| / / / / | / / / / | / / / / | / / / / |

Am⁹   Bm¹¹   Am⁹   Bm¹¹

| / / / / | / / / / | / / / / | / / / / |

Am⁹ |Bm¹¹ |Am⁹ |Bm¹¹ |

Hush, hush.   Hush, hush.

Am⁹ |Bm¹¹ |Am⁹ |N.C. |

Hush, hush.   Hush, hush.

Chorus 3   Am^9 | Bm^{11} |
you're nervous when you see me sway,

                    Am^9 | Bm^{11} |
too much time by yourself.   You know

                    Am^9 | Bm^{11} |
you always seem to back away,

                    Am^9 | Bm^{11} |
don't hide within yourself.   You know

                    Am^9 | Bm^{11} |
you're nervous when you see me sway,

                    Am^9 | Bm^{11} |
too much time by yourself.   You know

                    Am^9 | Bm^{11} |
you always seem to back away,

                    Am^9 | Bm^{11} |
don't hide within yourself.   You know

Coda   Am^9 | Bm^{11} | Am^9 | Bm^{11} |
Hush, hush.   Hush, hush.

(Repeat Coda to fade)

In Our Lifetime

Words and Music by
JOHN McELHONE AND SHARLEEN SPITERI

E6   Eadd9   A7   A6   B6   B   C♯sus2   A   C♯m

G♯m   E   F♯m7   F♯m9   F♯m   Asus2   Badd9   Bsus4/2

♩ = 94

Intro   4/4 **E6**   **E**add9 | |

Ah ah ah

Amaj7   **A**6 **B**6   **B**

| / / / / | / / / / |

Verse 1   **C♯m**   **C♯**sus2 | |

There are things   I can't tell you,

A | |

I love you too much to say.

C♯m   **C♯**sus2 | |

I stand undressed, but   I'm not naked,

A | |

you look at me and who I   am.   Understand

G♯m | |

that it is hard to tell you that I've given all   I

A | |

have to give.   And I can un-

G♯m | | .

derstand your feelings, but then everybody has   a

A |**B** |

life to live.   Once in a

Chorus 1

E   E^{add9} |E   E^{add9} |
lifetime,   you have what I've seen,

A^{maj7} A^6 |A^{maj7} A^6 |
you will always swim for shore.   Once in my

F♯m^7 F♯m^9 F♯m |A^{maj7} A^6 |
life - time,   I'll never be in between,

B^6 B |B^6 B |
some things you just can't ignore.

Verse 2

C♯m   C♯sus2 | |
Now reach out,   you can touch me,

A | |
I'll let you have my life to share.

C♯m   C♯sus2 | |
The years, the days   and the minutes,

A | |
yeah,time has such a puzzling grace.   Understand

G♯m | |
that it is hard to tell you that I've given all   I

A | |
have to give.   And I can un-

G♯m | |
derstand your feelings, but then everybody has   a

A |B |
life to live.   Once in a

Chorus 2

E   E^{add9} |E   E^{add9} |
lifetime,   you have what I've seen,

A^{maj7} A^6 |A^{maj7} A^6 |
you will always swim for shore.   Once in my

F♯m^7 F♯m^9 F♯m |A^{maj7} A^6 |
life - time,   I'll never be in between,

B^6 B $|B^6$ B |
some things you just can't ignore.   Once in a

E E^{add9} $|E$ E^{add9} |
lifetime,   you have what I've seen,

A^{maj7} A^6 $|A^{maj7}$ A^6 |
you will always swim for shore.   Once in my

$F^{\sharp}m^7$ $F^{\sharp}m^9$ $F^{\sharp}m$ $|A^{maj7}$ A^6 |
life - time,   I'll never be in between,

B^6 B $|B^6$ B |
some things you just can't ignore.   I just need

Interlude E^6 E E^6 $|E^6$ E E^6 E^{add9} |
to   have your   love, I just   can't say no.   It's a gift

A A^{sus2} A $|A$ A^{sus2} A |
from   way   above, I just   can't say no.   It's the one

B^{add9} B B^{add9} $|B^{add9}$ B $B^{sus^4_2}$ |
big   difference. If there's one thing I can't have,   I just

E^6 E E^6 $|E$ E^{add9} |
can't say no,   I just can't say no. *(Hey, hey, hey)* Once in a

Chorus 3 E E^{add9} $|E$ E^{add9} |
lifetime,   you have what I've seen,

A^{maj7} A^6 $|A^{maj7}$ A^6 |
you will always swim for shore.   Once in my

$F^{\sharp}m^7$ $F^{\sharp}m^9$ $F^{\sharp}m$ $|A^{maj7}$ A^6 |
life - time,   I'll never be in between,

B^6 B $|B^6$ B |
some things you just can't ignore.   Once in a

(Repeat Chorus to fade)

Insane

Words and Music by
JOHN McELHONE AND SHARLEEN SPITERI

Gm   B♭/F   Em7(♭5)   E♭maj7   B♭   D

D7   B♭maj7   F   Dsus4   B♭maj7/F   Cm

♩ = 90

Intro

Gm   B♭/F   Em⁷♭⁵   E♭maj7

4/4 | / / / / | / / / / | / / / / | / / / / |

Verse 1

Gm | B♭/F |
Somebody told me it was over,

Em⁷♭⁵ | E♭maj7 |
nobody told me where it began,

Gm | B♭ |
no-one believes in you, I understand.

D   D⁷

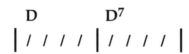

| / / / / | / / / / |

Gm | B♭/F |
Like a blind man whose lost his way,

Em⁷♭⁵ | E♭maj7 |
no-one hears a word of what you say,

Gm | B♭maj7 |
I forgive you,   would you do the

D | D⁷ |
same?

Pre-Chorus   B♭ | |F | |
I would believe you,   if only you'd be true,

B♭ | |D |D^7 |
I would believe if it were true.

Chorus 1   B♭ |F |
'Cause everybody wants to be a winner

Em$^{7♭5}$ | E♭maj7 |
and nobody wants to lose their game,

Gm |F |
it's the same for me,   it's the same for you ,   it's insane,

B♭maj7 |D^{sus4} |
insane, insane, insane, insane,   insane, insane, insane.

            D
| / / / / |

Verse 2   Gm | B♭/F |
I don't know where you've been looking,

Em$^{7♭5}$ | E♭maj7 |
I think it's only in your mind,

Gm | B♭maj7 |
It's tied so tight inside of you all the thoughts un-

D |D^7 |
kind.

Pre-Chorus   B♭ | |F | |
I would believe you,   if only you'd be true,

B♭ | |D |D^7 |
I would believe if it were true.

Chorus 2

Bb |F |
'Cause everybody wants to be a winner

Em^{7b5} |Ebmaj7 |
and nobody wants to lose their   game,

Gm |F |
it's the same for me,   it's the same for you ,   it's insane,

Bbmaj7 |Dsus4 |
insane, insane, insane, insane,   insane, insane, insane.

D |
          In-

Interlude

Gm |Bb/F |Em^{7b5} |Ebmaj7 |
sane.

Gm Bb/F Em^{7b5} Ebmaj7

| / / / / | / / / / | / / / / | / / / / |

Pre-Chorus

Bb | |F | |
I would believe   you,   if only you'd be   true,

Bb | |D |D^7 |
I would believe   if it were true.

Chorus 2

Bb |F |
'Cause everybody wants to be a winner

Em^{7b5} |Ebmaj7 |
and nobody wants to lose their   game,

Gm |F |
it's the same for me,   it's the same for you ,   it's insane,

Bbmaj7 |Dsus4 |
insane, insane, insane, insane,   insane, insane, insane.

Bb |F |
'Cause everybody wants to be a winner

Em⁷ᵇ5　　　　　　　　　　　**| Eᵇmaj7**　　　　　　　　　　　　|
and nobody wants to lose their　game,

Gm　　　　　　　　　　　　　**| F**　　　　　　　　　　　　　　　|
it's the same for me,　　　　　　it's the same for you ,　it's insane,

Bᵇmaj7　　　　　　　　　　**| Dsus4**　　　　　　　　　　　　　|
insane, insane, insane, insane,　insane, insane, insane.

D　　　　　　　**| Gm**　　　　　　　|
　　　Insane.

Coda　　　**Bᵇ/F**　　　**Cm**　　　**Bᵇ/F**　　　**Gm**
　　　| / / / / | / / / / | / / / / | / / / / ‖

Put Your Arms Around Me

Words and Music by
JOHN McELHONE, SHARLEEN SPITERI, ROBERT HODGENS AND DAVE STEWART

Gadd9　　D　　A　　Em7　　Cmaj9　　G　　C

Am7　　C/G　　Bb　　Dm/A　　Eb/G　　Gm　　D/F#

♩ = 76

Verse 1　　$\frac{4}{4}$ **G**add9 　|**D**　　　　　　　　　　　|**A**　　　　　　|
Are you ready maybe are you willing to run? Are you

Gadd9 　　　　　　　　　|　　　　　　　　　　　|
ready to let yourself drown?　　　　　　Are you

D　　　　　　　　　|**A**　　　　　　　　|
holding your breath?　　　　　Are you ready or

Gadd9 　　　　　　　　　|　　　　　　　　　　|
not?　　　　　　　　　　　　Are you

D　　　　　　　　|**A**　　　　　　　　|
ready maybe?　　　　　　　Do you

A　　　　　　　　|**G**add9　　　　　　　|
long to confess?　　Do you feel that you're　　already

　　　　　　　　　|**D**　　　　　　　|
numb?　　　　　　　Are you sure of yourself?

A　　　　　　　　|**G**add9　　　　　　　|
　Would you lie if you're not?

　　　　　　　|**Em**7　　　　　　　|
　　　　　　　　　You tire me out.

Cmaj9　　　　　　　　|**Em**7　　　　　　|
Don't want to let that happen.　A secret scream so loud.

Cmaj9　　　　　　　　|　　　　　　　|
Why did you let that happen?

Chorus 1

G |D |
Ooh, ooh,   so put your arms around me.

C |Am⁷ |
    You let me believe that you are someone else.

G |D |
Ooh, ooh, 'cause only time can take you.

Am⁷ |Em⁷ |
    So let me believe that I am someone else.

$\frac{2}{4}$ |$\frac{4}{4}$D |
                          Maybe are you

Verse 2

A |G^add9 |
ready to break?   Do you think that I push you too

                      |D |
far?   Would you open yourself?

A |G^add9 |
    Are you reckless or not?

                      |Em⁷ |
                  You tire me out.

C^maj9 |Em⁷ |
Don't want to let that happen.   A secret scream so loud.

C^maj9 | |
Why did you let that happen?

Chorus 2

G |D |
Ooh, ooh,   so put your arms around me.

C |Am⁷ |
    You let me believe that you are someone else.

G |D |
Ooh, ooh, 'cause only time can take you.

Am⁷ |C/G |
    So let me believe that I am someone else.

```
        G                        |D                   |
                                              let

        Am⁷                      |C/G                 |
        me believe         that I am somewhere else.


Interlude   B♭        |Dm/A       |E♭/G        |Gm            |
            Shalalala la.   Shalalala la.   Shalalala la.   Shalalala la.

            B♭        |Dm/A       |E♭/G        |Gm            |
            Shalalala la.   Shalalala la.   Shalalala la.   Shalalala la.


Coda    G                    |D/F♯         |Cmaj7      |Am⁷         |
        Ooh, ooh, so put your arms around me.                 Ooh.

        G        |D/F♯        |Am⁷          |C              |
        so put your  arms around me.

        G         |D/F♯          |C          |Am⁷            |
        Ooh,        make me believe.          Take me, take me

        G          |D/F♯      |Am⁷            |C              |
        somewhere, somewhere. Oh let me believe,

        G          |D/F♯           |C          |Am⁷           ‖
          'cause only time can take you,        so stop!
```

Say What You Want

Words and Music by
JOHN McELHONE AND SHARLEEN SPITERI

| G♯m7/B | G♯7/B♯ | E | Emaj7 | E6 | A | G♯m | F♯m | B |

| C♯m7/G♯ | F♯m7(add4) | F♯m7 | B6 | B7 | Amaj7 | A6 | Amaj9 |

♩ = 96

Intro   G♯m⁷/B   G♯⁷/B♯   E   Emaj⁷

$\frac{4}{4}$ | / / / / | / / / / | / / / / | / / / / |

E⁶

| / / / / | / / / / |

Verse 1   E | Emaj⁷ |
Twenty seconds on the back time,

E6 | |
I feel you're on the run.

A | G♯m |
Never lived too long to make right,

F♯m | B |
   I see you're doing fine.   And

A | C♯m⁷/G♯ |
when I get that feeling, I can no longer slide,   I can

F♯m⁷(add4) | F♯m⁷ |
no longer run, no, no.   And when I get that feel-

A | G♯m |
ling   I can no longer hide,   for it's

F♯m⁷(add4) | B |
no longer fun, no no.   Well you can

Chorus 1   E | E⁶ |

say what you want but it won't change my mind, I'll feel the same

   B⁶ | B⁷ |

about you.   And you can

   F♯m | B |

tell me your reasons but it won't change,   I'll feel the

   E | E⁶ |

same   about you.

Verse 2   E | E^maj7 |

What I am is what you want to be,

   E6 | |

now that I'm not there.

   A | G♯m |

Took the tables away from you,

   F♯m | B |

it's turned and I don't   care.   And

   A | C♯m⁷/G♯ |

when I get that feeling, I can no longer slide,   I can

   F♯m⁷(add4) | F♯m⁷ |

no longer run, no, no.   And when I get that feel-

   A | G♯m |

ling   I can no longer hide,   for it's

   F♯m⁷(add4) | B |

no longer fun, no no.   Well you can

Chorus 2   E | E⁶ |

say what you want but it won't change my mind, I'll feel the same

   B⁶ | B⁷ |

about you.   And you can

34

F#m   **| B**   **|**
tell me your reasons but it won't change,   I'll feel the

E   **| E^6**   **|**
same   about you.

E   **| E^6**   **|**
say what you want but it won't change my mind, I'll feel the same

B^6   **| B^7**   **|**
       about you.   And you can

F#m   **| B**   **|**
tell me your reasons but it won't change,   I'll feel the

E   **| E^6**   **|**
same   about you.   I've

Interlude   **A^{maj7}**   **A^6**   **| A^{maj9}**   **|**
said good night, try to sleep tight,

A^6   **A**   **| B**   **|**
     oh, just dream of me.   Go

A^{maj7}   **A^6**   **|**
close your ewes 'cause I've closed mine,   the

A^{maj9}   **|**
sun will shine from time to time

A   **| B^6**   **|**
oh, when you dream of me.   Yeah, you can

Chorus 3   **E**   **| E^6**   **|**
say what you want but it won't change my mind, I'll feel the same

B^6   **| B^7**   **|**
       about you.   And you can

F#m   **| B**   **|**
tell me your reasons but it won't change,   I'll feel the

E   **| E^6**   **|**   *(Repeat Chorus*
same   about you.   Well you can   *to fade)*

So In Love With You

Words and Music by
JOHN McELHONE AND SHARLEEN SPITERI

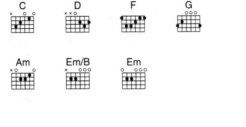

♩ = 76

Intro

|C |D |F |G |

$\frac{4}{4}$| / / / / | / / / / | / / / / | / / / / |

Chorus 1

Am |**D** |
I'm so in love with you.

F |**G** |
I'm so in love with you.   Whether it is

Am |**D** |
right or wrong, I'm too weak to be strong. I'm

F |**G** |
so in love with you.   Well you

Verse 1

C   **Em/B** |**Am**   **F** |
say you need something to help you when you're down, to take

G | |
your fears away.   Yeah, you

C   **Em/B** |**Am**   **F** |
say you'd do anything to keep your feet off the ground and help

G |**Em** |
you on your way.   Yeah you're

```
F                    |G                    |
         all I need.        Yeah you are all

F                          |G      Em        |                    |
         that I need.
```

Chorus 2
```
Am                       |D                    |
I'm so in love with you.

         F                          |G                    |
         I'm so in love with you.         Whether it is

         Am                       |D                    |
         right or wrong, I'm too weak to be strong. I'm

         F                          |G                    |
         so in love with you.             When you
```

Verse 2
```
C               Em/B       |Am                       F        |
see your reflection, you say it isn't you. Then you

G                          |                    |
turn the other way,                    and I am

C               Em/B       |Am           F        |
watching you suffer, your self and your pain. So please

G                          |Em                    |
don't fade away.              Yeah you're

F                          |G                    |
         all I need.        Yeah you are all

F                          |G      Em        |
         that I need.
```

Interlude
(Duet)
```
C                          |D                    |
I'm so in love with you.
I'm so in love,          I'm so in love

F                          |G                    |
I'm so in love with you.         It's alright now.
I'm so in love with you.
```

```
C                        |D                          |
        I'm so in love with you.         I'm so in love
I'm so in love,                I'm so in love

F                  |G                        |
        with you I am.
I'm so in love with you.              Whether it is

C                               |
            You gotta tell me,
right or it's wrong,         I'm too

D                                         |
            you know you've gotta tell me
weak to be strong.                       I'm

F                  |G                            |
      whether it's  right   or it's wrong.
so in love         with you.

C                        |D                      |
Oh      I've gotta know,              I've gotta know.
I'm so in love,              I'm so in love

F                        |G                        |

I'm so in love with you.

C           Em/B            |Am           F           |
            You've gotta tell                    me.
     I'm so in love,                   I'm so in love with you.

    G           Em
  | / / / / | / / / / | / / / / |
```


Chorus 3
```
            Am                |D                   |
            I'm so in love with you.

            F                 |G                   |
            I'm so in love with you.       Whether it is

            Am                |D                   |
            right or wrong, I'm too weak to be strong. I'm

            F                 |G                   |
            so in love with you.
```

Coda

Am	D	F	G	Am
/ / / /	/ / / /	/ / / /	/ / / /	/ / / /

Summer Son

Words and Music by
JOHN McELHONE, SHARLEEN SPITERI, ROBERT HODGENS AND EDDIE CAMPBELL

Fm B♭m7 B♭m6 E♭sus4 E♭ C/E D♭

E♭sus2 Cm A♭ B♭ B♭7 B♭m

♩ = 128

Intro

Fm

4/4 | / / / / | / / / / | / / / / | / / / / |

B♭m7 B♭m6 B♭m7 B♭m6 E♭sus4 E♭ C/E

| / / / / | / / / / | / / / / | / / / / |

Fm

| / / / / | / / / / |

Verse 1

D♭ | E♭sus2 | D♭ | E♭sus2 |
I'm tired of telling the story, tired of telling it your way.

Cm | | Fm | |
Yes, I know what I saw, I know that I found the floor.

Pre-Chorus

A♭ | | D♭ | |
Before you take my heart, reconsider.

A♭ | | B♭ | B♭7 |
Before you take my heart, reconsider.

D♭ | | E♭ | |
I've opened the door, I've opened the door. Here comes the

Chorus 1

Fm | | B♭m7 B♭m6 | B♭m7 B♭m6 |
Summer son, he burns my skin. I ache

© 1998 & 1999 EMI 10 Music Ltd, London WC2H OEA,
Universal Music Publishing Ltd, London W6 8JA and copyright control

40

E♭sus4   E♭ | C/E | Fm | |
again,   I'm over you.

Verse 2   D♭ | E♭sus2 | D♭ | E♭sus2 |
I thought I had a dream to hold, maybe that has gone.

               Cm | |
Your hands reach out and touch me still,

               Fm | |
but this feels so wrong.

Pre-Chorus A♭ | | D♭ | |
Before you take my heart,   reconsider.

               A♭ | | B♭ | B♭7 |
Before you take my heart,   reconsider.

               D♭ | | E♭ | |
I've opened the door,   I've opened the door. Here comes the

Chorus 2   Fm | | B♭m7 B♭m6 | B♭m7 B♭m6 |
Summer son,   he burns my skin.   I ache

               E♭sus4   E♭ | C/E | Fm | |
again,   I'm over you.   Here comes the

               Fm | | B♭m7 B♭m6 | B♭m7 B♭m6 |
Winter's rain,   to cleanse my skin.   I wake

               E♭sus4   E♭ | C/E | Fm | |
again,   I'm over you.

Interlude   Cm   B♭m
            | / / / / | / / / / | / / / / | / / / / |

               Cm   B♭m
            | / / / / | / / / / | / / / / | / / / / |

Pre-Chorus A♭ | |D♭ | |
Before you take my heart, reconsider.

A♭ | |B♭ | B♭⁷ |
Before you take my heart, reconsider.

D♭ | |E♭ | |
I've opened the door, I've opened the door. Here comes the

Chorus 3 Fm | |B♭m⁷   B♭m⁶ |B♭m⁷   B♭m⁶ |
Summer son, he burns my skin. I ache

E♭sus4   E♭ |C/E |Fm | |
again, I'm over you. Here comes the

Fm | |B♭m⁷   B♭m⁶ |B♭m⁷   B♭m⁶ |
Winter's rain, to cleanse my skin. I wake

E♭sus4   E♭ |C/E |Fm | |
again, I'm over you.

Chorus 4 Fm | |B♭m⁷   B♭m⁶ |B♭m⁷   B♭m⁶ |
Summer son, he burns my skin. I ache

E♭sus4   E♭ |C/E |Fm | |
again, I'm over you. Here comes the

Fm | |B♭m⁷   B♭m⁶ |B♭m⁷   B♭m⁶ |
Winter's rain, to cleanse my skin. I wake

E♭sus4   E♭ |C/E |Fm | |
again, I'm over you.

(Repeat Chorus to fade)

Sunday Afternoon

Words and Music by
JOHN McELHONE AND SHARLEEN SPITERI

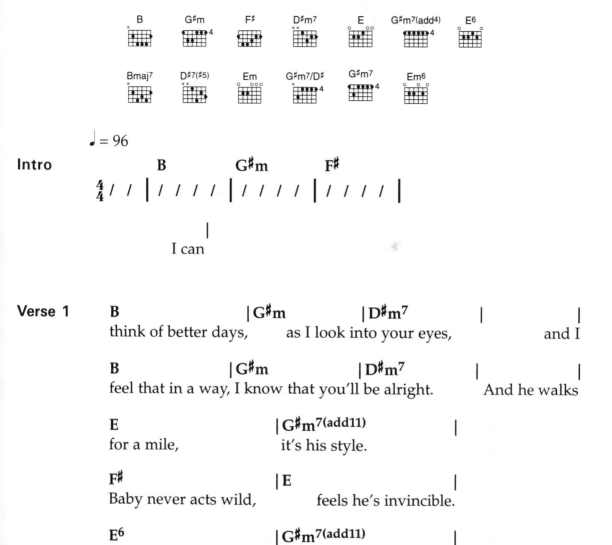

♩ = 96

Intro

| B | G#m | F# |

4/4 / / | / / / / | / / / / | / / / / |

I can

Verse 1

B | G#m | D#m7 | | |
think of better days,   as I look into your eyes,   and I

B | G#m | D#m7 | | |
feel that in a way, I know that you'll be alright.   And he walks

E | G#m7(add11) |
for a mile,   it's his style.

F# | E |
Baby never acts wild,   feels he's invincible.

E6 | G#m7(add11) |
He walks for a while,   but I never ask why he

F# | E |
needs his time in isolation.   It's your

Chorus 1

B | Bmaj7 | D#7(#5) | | |
views, on your groove,   on a Sunday afternoon. Paint it slow,

G#m7(add11) | | E | Em |
then you'll know, what you need to work out soon.   I'm gonna

Verse 2   B | G#m |
whisper in your ear,   I've a lot of things to

D#m7 | |
say to you.   I'll give you

B | G#m | D#m7 | |
all my universe, you're all I want and that's for sure   And he walks

E | G#m7(add11) |
for a mile,   it's his style.

F# | E |
Baby never acts wild,   feels he's invincible.

E6 | G#m7(add11) |
He walks for a while,   but I never ask why he

F# | E |
   needs his time in isolation.   It's your

Chorus 2   B | Bmaj7 | D#7(#5) | |
views, on your groove,   on a Sunday afternoon. Paint it slow,

G#m7(add11) | | E | Em |
then you'll know, what you need to work out soon.   It's your

B | Bmaj7 | D#7(#5) | |
views, on your groove,   on a Sunday afternoon. Paint it slow,

G#m7(add11) | | E | Em |
then you'll know, what you need to work out soon.   It's your

Interlude   B | | E | G#m |
   In your darkest hour,   take my hand and I'll show you.

E | G#m7/D# | F# | E |
Understand it much better.   I'll make sure that you'll get there.
                                                                It's your

Chorus 3 B |B^{maj7} |D^{♯7(♯5)} | |

views, on your groove, on a Sunday afternoon. Paint it slow,

G[♯]m^{7(add11)} | |E |Em |

then you'll know, what you need to work out soon. It's your

B |B^{maj7} |D^{♯7(♯5)} | |

views, on your groove, on a Sunday afternoon. Paint it slow,

G[♯]m^{7(add11)} | |E |Em |

then you'll know, what you need to work out soon. It's your

Chorus 4 B |B^{maj7} |D^{♯7(♯5)} | |

views, on your groove, on a Sunday afternoon. Paint it slow,

G[♯]m^{7(add11)} | |E |Em |

then you'll know, what you need to work out soon. It's your

B |B^{maj7} |D^{♯7(♯5)} | |

views, on your groove, on a Sunday afternoon. Paint it slow,

G[♯]m^{7(add11)} | |E |Em |

then you'll know, what you need to work out soon.

Coda

B   B^{maj7}   D^{♯7(♯5)}

| / / / / | / / / / | / / / / | / / / / |

G[♯]m   G[♯]m⁷   E   Em⁶

| / / / / | / / / / | / / / / | / / / / ||

Thrill Has Gone

Words and Music by
JOHN McELHONE AND SHARLEEN SPITERI

G   C   Am   D

Cadd9   Am7   Dsus4

♩ = 126

Intro

G   C

| 4/4 | / / / / | / / / / | / / / / | / / / / |

G   C

| / / / / | / / / / | / / / / | / / / / |

Verse 1

G | C |
Listening   I hear your voice.   To-

G | C |
gether you and I have nothing left to carry on,   and I'm see-

G | C |
ing you   slip away.   'Cause you

Am | C | D |
never cared you never even   realised.   Now the thrill has gone

Chorus 1   G | C | D |
                Like the seed in your eyes now the thrill has gone,

G | C | D^{sus4} |
            It was you who threw it all away.

D | G | |
Now the thrill has gone.

C
| / / / / | / / / / |

Verse 2

G | |C | |
Listening   I hear your voice.   To-

G | |C | |
gether you and I have nothing left to carry on,   and I'm see-

G | |C | |
ing you   slip away.   'Cause you

Am | |C |D |
never cared you never even   realised.   Now the thrill has gone

Chorus 2

G | |C |D |
Like the seed in your eyes now the thrill has gone,

G | |C |D^{sus4} |
It was you who threw it all away.

D |G | |
Now the thrill has gone.

C
| / / / / | / / / / |

Intro

G   C
| / / / / | / / / / | / / / / | / / / / |

G   C
| / / / / | / / / / | / / / / | / / / / |

G   C
| / / / / | / / / / | / / / / | / / / / |

G   C
| / / / / | / / / / | / / / / | / / / / |

```
     Am                    C         D
| / / / / | / / / / | / / / / | / / / / |

     G                    Cadd9
| / / / / | / / / / | / / / / | / / / / |
```

Verse 3   G | |Cadd9 | |
              Say to me   what I want to hear,

              G | |Cadd9 | |
              Say to me   what I want to hear,

              G | |Cadd9 |C/D |
              Say to me   what I want to hear,   'Cause you

              Am⁷ | |C |D |
              never cared you never even   realised.   Now the thrill has gone

Chorus 2   G | |C |D |
                              Like the seed in your eyes now the thrill has gone,

              G | |C |Dsus4 |
                              It was you who threw it all away.

              D |G |
              Now the thrill has gone.

              Cadd9 |Dsus4 |
              Now the thrill has gone.

              G | |
              Now the thrill has gone.

```
     Cadd9         Dsus4
| / / / / | / / / / |
```

Coda   G   Cadd9   Dsus4
```
| / / / / | / / / / | / / / / | / / / / |
```

| G | | Cadd9 | Dsus4 |

```
 G                    Cadd9      Dsus4
| / / / / | / / / / | / / / / | / / / / |

 G                    Cadd9      Dsus4
| / / / / | / / / / | / / / / | / / / / |

 G                    Cadd9      Dsus4       G
| / / / / | / / / / | / / / / | / / / / | / / / / ‖
```

White On Blonde

Words and Music by
JOHN McELHONE AND SHARLEEN SPITERI

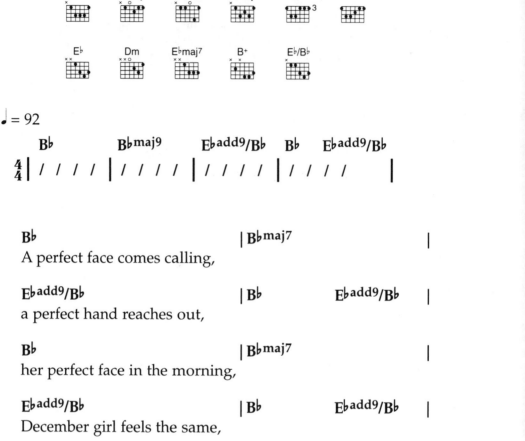

♩ = 92

Intro

B♭   B♭maj9   E♭add9/B♭   B♭   E♭add9/B♭

4/4 | / / / / | / / / / | / / / / | / / / / |

Verse 1

B♭ | B♭maj7 |
A perfect face comes calling,

E♭add9/B♭ | B♭   E♭add9/B♭ |
a perfect hand reaches out,

B♭ | B♭maj7 |
her perfect face in the morning,

E♭add9/B♭ | B♭   E♭add9/B♭ |
December girl feels the same,

Pre-Chorus

Gm | F |
she needs to find a place,   'cause she

E♭ | Dm |
never looked so good when she was down.   She's

Chorus 1

B♭ | E♭maj7 |
blonde on white and white on blonde, her perfections are now gone,

B♭ | E♭add9/B♭   B♭ |
reflections everywhere,

| Bb | | Eb maj7 | |
if you gaze for too long it will fade and then it's gone,

| Bb | | Eb add9/Bb | Bb | |
reflections everywhere.

Verse 2 | Bb | | Bb maj7 | |
Imagine naked legs falling,

| Eb add9/Bb | | Bb | Eb add9/Bb | |
walking barefoot in the rain,

| Bb | | Bb maj7 | |
    imagine freezing cold weather

| Eb add9/Bb | | Bb | Eb add9/Bb | |
December girl feels the same,

Pre-Chorus | Gm | | F | |
she needs to find a place,   'cause she

| Eb | | Dm | |
never looked so good when she was down.   She's

Chorus 2 | Bb | | Eb maj7 | |
blonde on white and white on blonde, her perfections are now gone,

| Bb | | Eb add9/Bb | Bb | |
reflections everywhere,

| Bb | | Eb maj7 | |
if you gaze for too long it will fade and then it's gone,

| Bb | | Eb add9/Bb | Bb | |
reflections everywhere.

Interlude   Bb   Bb+   Eb/Bb   Gm   F

| / / / / | / / / / | / / / / | / /   / / |

```
  Bb          Bb+        Eb/Bb      Gm   F
| / / / / | / / / / | / / / / | / /   / / |
```

Pre-Chorus Gm | F |
A perfect face comes calling,

Eb | Dm |
a perfect hand reaches out,

Gm | F |
she needs to find a place,   'cause she

Eb | Dm |
never looked so good when she was down.   She's

Chorus 3 Bb | Ebmaj7 |
blonde on white and white on blonde, her perfections are now gone,

Bb | Ebadd9/Bb   Bb |
reflections everywhere,

Bb | Ebmaj7 |
if you gaze for too long it will fade and then it's gone,

Bb | Ebadd9/Bb   Bb |
reflections everywhere.

(Repeat Chorus to fade)

You Owe It All To Me

Words and Music by
JOHN McELHONE AND SHARLEEN SPITERI

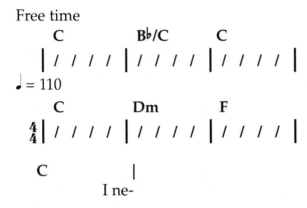

Intro

Free time

C   Bb/C   C

| / / / / | / / / / | / / / / |

♩ = 110

C   Dm   F

4/4 | / / / / | / / / / | / / / / |

C |
     I ne-

Verse 1

C |Dm |
ver thought there'd be a time when all you'd wanna do is fight.

F |C |
It's made me suffer lonely days   and I'm

C |Dm |
waitin' for the evenings sun to come along and calm me down.

F |C |
Can't you see that on my face   without

Chorus 1

F | |
me you would be nowhere. All along I've cared,   you owe it

C | |
all to me,   you owe it all to me.   Without

F | |
me you would be nowhere. All along I've cared,   you owe it

C | |

all to me,   you owe it all to me.   I know

Verse 2   C |Dm |

it seems to you sometimes, when we're alone,   I tend to hide,

F |C |

leave my feelings locked behind a door.   As I

C |Dm |

watch the wind cut through the trees. I never wanted you to leave.

F |C |

I only wish I'd told you this before.   Without

Chorus 2 F | |

me you would be nowhere. All along I've cared,   you owe it

C | |

all to me,   you owe it all to me.   Without

F | |

me you would be nowhere. All along I've cared,   you owe it

C | |

all to me,   you owe it all to me.   I know

Intro   C   Dm   F   C

| / / / / | / / / / | / / / / | / / / / |

                      Dm   F   C

| / / / / | / / / / | / / / / | / / / / |

  Dm C   Dm C

| / / / / | / / / / | / / / / |

                    |

             What kind

Verse 3　　　　C　　　　　　　　　　　　　　　　　　|Dm　　　　　　　　　|
　　　　　　　　　of life am I to lead with this love you've given me?

　　　　　　　　F　　　　　　　　　　　　　　　　|C　　　　　　　　　　|
　　　　　　　　I thought you were a friend of mine,　　　　　　　　　but

　　　　　　　　C　　　　　　　　　　　　　　　|Dm　　　　　　　　　|
　　　　　　　　every day you're someone new and that's the one I've got to lose.

　　　　　　　　F　　　　　　　　　　　　　　　|C　　　　　　　　　　|
　　　　　　　　Why do you make it so hard to fight?　　　　　　　　without

Chorus 3　　　F　　　　　　　　　　　　|　　　　　　　　　　　|
　　　　　　　　me you would be nowhere. All along I've cared,　you owe it

　　　　　　　　C　　　　　　　　　　　　|　　　　　　　　　　　|
　　　　　　　　all to me,　　　　you owe it all to me.　　　　Without

　　　　　　　　F　　　　　　　　　　　　|　　　　　　　　　　　|
　　　　　　　　me you would be nowhere. All along I've cared,　you owe it

　　　　　　　　C　　　　　　　　　　　　|　　　　　　　　　　　|
　　　　　　　　all to me,　　　　you owe it all to me.　　　　Without

Chorus 4　　　F　　　　　　　　　　　　|　　　　　　　　　　　|
　　　　　　　　me you would be nowhere. All along I've cared,　you owe it

　　　　　　　　C　　　　　　　　　　　　|　　　　　　　　　　　|
　　　　　　　　all to me,　　　　you owe it all to me.　　　　Without

　　　　　　　　F　　　　　　　　　　　　|　　　　　　　　　　　|
　　　　　　　　me you would be nowhere. All along I've cared,　you owe it

　　　　　　　　C　　　　　　　　　　　　|　　　　　　　　　　　|
　　　　　　　　all to me,　　　　you owe it all to me.　　　　Without

　　　　　　　　(Repeat Chorus ad lib to fade)

Printed in England
The Panda Group · Haverhill · Suffolk · 12/99